Le Français en action 5

Madeleine de Verchères
Héroïne canadienne

MORGAN KENNEY

Program Team
MORGAN KENNEY
Doreen Dick
Dieter Euler
Carol Oriold
  (creative drama)
Roger St-Denis
  (original music)

D.C. Heath Canada Ltd.

Canadian Cataloguing in Publication Data

Kenney, Morgan, date
  Madeleine de Verchères

(Le Français en action; 5)
For English-speaking students of French as a second language in
grade 8.
ISBN 0-669-95097-1

1. French language – Readers (Elementary).★
2. French language – Textbooks for second language
learners – English speakers.★ I. Title. II. Series.

PC2112.K466   1989   448.6′421   C89-093721-4

Design
Peter Maher

Consultants
MKLP

Illustration
Alan and Lea Daniel Inc.

Editorial
J.A. Funamoto

French Editor
J.A. d'Oliveira

Typesetting
Q Composition Inc.

Colour Separation
Passage Productions, Inc.

Lithography
The Bryant Press Limited

Printed and bound in Canada

1 2 3 4 5 6 7 8 9   BP   97 96 95 94 93 92 91 90 89

Table des matières

MADELEINE DE VERCHÈRES
Héroïne canadienne

L'Attaque

C'est l'année 1692. Pierre et Alexandre de Verchères s'amusent au bord du fleuve, le très long St-Laurent. Leur mère leur a dit de ne pas aller loin du fort. Il y a toujours le très grand danger d'une attaque par les Iroquois, les Indiens qui sont les ennemis de tous les Français dans ce nouveau pays de la Nouvelle-France.

C'est le matin et les fermiers quittent le fort pour aller travailler ensemble dans un champ. Ils sont accompagnés de huit soldats qui pourront les aider si les Iroquois attaquent. Les femmes vont travailler dans une plantation de melons près du fort; d'autres donnent à manger aux animaux.

Mme de Verchères doit aller à Montréal. Elle ne veut pas y aller parce que son mari est absent en service militaire. Mais elle n'a pas le choix. C'est une question d'affaires importantes. Elle charge sa fille Madeleine de commander le fort. C'est une grande responsabilité pour une fille de 14 ans!

Vas-y toi-même! Je ne peux pas. Je suis blessé à la jambe. En tout cas, c'est moi qui donne les ordres!

Et je te dis...

À ce moment, la voix de leur soeur interrompt leur dispute.

Pierre! Alex! Venez tout de suite. Maman est prête à partir. Venez dire au revoir à Maman.

Les deux garçons courent vite au quai, aux deux canots qui vont transporter Mme de Verchères et ses petites enfants à Montréal. Monseigneur de Sévigny, qui accompagne Mme de Verchères à Montréal, attend là aussi. Il les accompagne pour les protéger contre les Indiens.

Les deux garçons ont honte et baissent les yeux.

Et n'oubliez pas que pendant l'absence de votre père et pendant mon absence, c'est Madeleine qui est la responsable. Il faut lui obéir en tout.

Mais nous, nous sommes les hommes, les soldats!

Madeleine est l'aînée de la famille. C'est elle qui représente l'autorité de notre famille. Tout le monde – soldats, fermiers, domestiques – tout le monde doit obéir à Madeleine en tout.

Très bien, Maman.

Il ne faut jamais oublier votre devoir envers le roi Louis XIV, envers notre nouveau pays, la belle Nouvelle-France, envers votre père et envers l'honneur de notre famille.

Mme de Verchères embrasse Madeleine, Pierre et Alexandre, puis Monseigneur de Sévigny l'aide à embarquer dans le canot. Il y embarque lui-même, les pagayeurs mettent leur pagaie dans l'eau et les voilà partis!

Madeleine, Pierre et Alexandre agitent la main, puis le fleuve tourne et les deux canots disparaissent.

Maintenant, au travail! Il y a beaucoup à faire. Moi, je vais faire cuire du pain aujourd'hui et j'aurai besoin de bois pour le four.

Ah, Madeleine! Alex et moi voulons pêcher. Il y a un gros saumon près de la rive.

Pierre! Tu oublies vite ce que Maman a dit. Tu oublies ma responsabilité et ton devoir de m'aider, de m'obéir!

Pierre comprend le danger. Les Iroquois peuvent attaquer à tout instant.

9

Madeleine entre dans le fort. Elle va tout de suite parler à Laviolette, le vieux serviteur de la famille. Madeleine a grande confiance en lui. Laviolette a été soldat qui s'est battu contre les Indiens sous les ordres du Seigneur de Verchères. Maintenant, à l'âge de quatre-vingts ans, il ne peut plus se battre, mais il continue à servir la famille. Après sa conversation avec Laviolette, Madeleine se sent beaucoup mieux et elle va parler aux deux soldats qui sont en garde. Il y a dix soldats pour garder le fort, mais il faut envoyer huit de ces soldats pour garder les habitants qui travaillent dans les champs.

…errot, allez
…u bastion de l'est.
…urveillez surtout
…s bois. Les Iroquois
…euvent se cacher
…-dedans.

La Grange, allez au bastion du nord. Surveillez le fleuve.

Les deux soldats hésitent. Ils regardent la jeune fille. Il est évident qu'ils n'aiment pas accepter des ordres d'une fille, mais ils savent que c'est elle qui a l'autorité. Alors ils saluent et s'en vont à leur position.

Madeleine s'approche du four. Pierre lui apporte du bois.

Après le bois, qu'est-ce que je dois faire?

Rassemble les vaches et emmène-les dans les champs. Pierre, je ferai des galettes d'orge pour le dîner ce soir.

Pierre sourit. Les garçons adorent les galettes d'orge. Il part en courant.

Madeleine remplit le four de bois, puis elle entre dans la maison pour faire les galettes d'orge.

Après quelque temps, elle retourne au four, accompagnée de la domestique, Marie. Marie vide le four des cendres et elles placent les pains et les galettes sur une pelle à long manche, et les mettent dans le four.

L'après-midi, les deux garçons aident Madeleine avec tout le travail. Après le retour des habitants, des femmes et des soldats, on ferme la grande porte et la barre.

À l'heure du dîner,
les garçons entrent dans la maison.

Madeleine, puisque Maman n'est pas ici, est-ce qu'il faut changer de vêtements pour le dîner?

Pierre! Tu sais bien qu'on se change pour le dîner.

Mais Richard Lemoine ne change pas de vêtements pour le dîner.

Et Richard Lemoine n'est pas fils d'un seigneur. Il n'est pas de la famille de Verchères. Notre père a été honoré par le roi Louis XIV. Allez vous changer! Et vite!

13

Quand ils arrivent pour le dîner, les garçons portent des vestons d'étoffe et des chemises. Madeleine porte une robe de velours et des souliers à boucles. Ces vêtements faisaient partie de leur vie en France et ils les ont apportés avec eux quand ils sont venus au nouveau monde. Quand Pierre entre, il remarque le poisson à la broche dans la cheminée.

Peuh! On mange toujours du poisson! Je n'aime plus le poisson. J'aime les attraper, mais je n'aime plus les manger. Je veux quelque chose de différent.

Moi aussi. Je voudrais quelque chose de différent. On mange toujours du poisson.

Restez tranquilles, vous deux. On a de la chance de manger du bon poisson comme ça. Et n'oubliez pas que j'ai fait du bon pain frais et des galettes d'orge. Si vous êtes sages, je vous donnerai aussi des conserves aux prunes sauvages avec du miel.

Je mangerai du poisson moi, mais ça ne change pas mes idées.

Moi aussi, je mangerai du poisson et des conserves aux prunes sauvages, mais ça ne change pas mes idées non plus!

Très bien. Asseyez-vous. Dis le bénédicité, Pierre.

Bénissez-nous, Seigneur, Et tous les aliments Que vous placez devant nous, Par votre grâce, Ainsi soit-il.

16

La table devant la cheminée est très longue. À chaque bout de la table il y a des chandeliers
en argent avec des chandelles allumées. En plus du poisson servi sur un plat, il y a un bol
de navets, du pain, du beurre fait du lait de leurs vaches et après, comme dessert,
des conserves que les garçons aiment tellement.
On est un peu silencieux pendant le repas. On pense aux parents absents; on pense aux
Iroquois; on pense aux Anglais; on sent le danger partout.

Le lendemain matin, le soleil est brillant. Madeleine se lève de bonne heure. Pendant que Marie prépare le petit déjeuner, Madeleine va discuter de la défense du fort avec le sergent.

Est-ce que vous pouvez laisser plus de soldats dans le fort aujourd'hui?

Je regrette, mais les habitants travaillent dans ce champ-là qui est près des bois. Il me faut au moins huit soldats pour les garder.

Mais ça nous laisse seulement deux soldats pour garder le fort.

Je le sais et le regrette, mais il est impossible de garder toutes ces personnes avec moins de huit soldats.

Après le petit déjeuner, la vie de tous les jours recommence. Les habitants quittent le fort ensemble pour aller récolter le blé dans un champ. Il est impossible que chaque habitant travaille dans son propre champ. Le danger d'une attaque par les Iroquois est trop grand. Ils travaillent tous ensemble. Comme ça, les soldats peuvent les garder. Les femmes des habitants avec leurs enfants viennent à la porte de la palissade pour dire au revoir à leur mari.

À ce soir, Jacques!

Fais bien attention à toi, Louis!

Fais attention, Robert!

Le soir, les habitants et les soldats reviennent. Tout le monde – habitants, femmes, enfants, soldats – rentrent dans le fort. On barre la porte. Les sentinelles sont de garde dans les quatre bastions. La nuit passe sans problèmes.

Le lendemain matin les habitants quittent le fort pour travailler dans un champ plus loin du fort. Il fait froid depuis quelque temps, mais c'est une bonne récolte: il faut couper le blé. Quelques femmes vont dans un champ à gauche du fort pour cueillir des melons et des citrouilles. Madeleine, Laviolette, Pierre et Alexandre examinent les canots au quai.

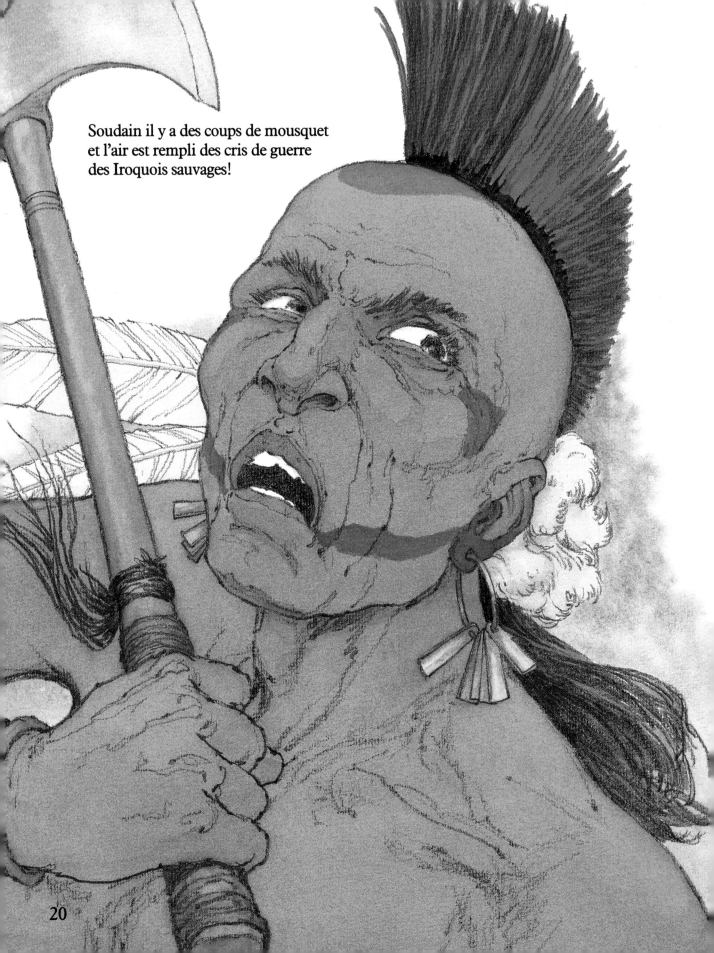

Soudain il y a des coups de mousquet
et l'air est rempli des cris de guerre
des Iroquois sauvages!

La Défense

Quand elle entend les coups de mousquet et les cris de guerre des Iroquois, Madeleine se retourne
et regarde vers le bois. Mon Dieu! Voilà des Iroquois qui courent vers elle, vers Laviolette,
vers les femmes. Elle entend les coups de mousquet et de pistolet dans le champ
où travaillent les habitants.

Vite! Dans le fort! Les Iroquois!
Les Iroquois sont sur nous!
Tout le monde dans le fort! Vite! Vite!

Madeleine, Laviolette et les garçons courent
aussi vite que possible vers le fort.

Les femmes dans le champ de melons courent vers le fort en criant: «Les Iroquois! Les Iroquois!».
Encore un coup de mousquet! Une balle siffle près de l'oreille de Madeleine. Un cri terrible!
Un autre cri perçant plus proche! Elle tourne la tête. Il y a deux Indiens qui s'approchent
tout près. Les Indiens courent plus vite. Ils vont les attraper avant qu'ils arrivent au fort.

Madeleine se penche, ramasse une grosse branche et la jette de toutes ses forces dans le visage d'un des Indiens. Il s'arrête, mais l'autre continue. Il est très près maintenant.

Laviolette et les garçons sont à la porte! Ils entrent. Madeleine est sur le point d'entrer quand l'Indien la prend par le mouchoir autour de son cou. Vite! Elle détache le mouchoir.

Elle est dans le fort. On claque la porte au visage de l'Indien! À l'intérieur du fort tout est en confusion.

Aux armes! Aux armes! Où sont les soldats?
Pourquoi n'ont-ils pas tiré?
Pourquoi n'ont-ils pas tiré le canon?

Laviolette! Pierre! Alex!
Aux bastions! Aux bastions!
Moi, je vais chercher
les soldats et les armes!

Les femmes!
Les enfants!
Dans la redoute!

Madeleine court vers la redoute où on garde les mousquets, les pistolets, la poudre et les balles. Quand elle ouvre la porte, elle sent qu'elle n'est pas seule.

Qui est là? Qui est là?!?

Elle saisit le détonateur et le jette par terre.

Les Iroquois vont nous tuer! Ils vont nous tuer!

Ils vont nous capturer et nous torturer!

Il vaut mieux faire exploser le fort!

Peut-être que dans la confusion nous pouvons nous échapper!

Puis elle discerne deux formes – les deux soldats! Un soldat tient un détonateur à la main. L'autre ouvre un baril de poudre.

Mais que faites-vous là?

Lâches! Misérables! Nous allons nous défendre comme les soldats du roi!

Mais il n'y a que le vieillard, Laviolette, et nous deux pour défendre le fort.

Vous oubliez que mes frères sont ici.
Et moi, je suis le commandant!

Mais vous êtes des enfants!

Nous sommes des Verchères!
Nous sommes prêts à défendre
notre terrain et l'honneur
de notre nom. Suivez-moi!

Oui, mon commandant.

L'expression dans les yeux de Madeleine ne permet pas d'hésitation.

Madeleine envoie un soldat au bastion qui n'a pas
de sentinelle. Elle envoie l'autre pour remplacer Alexandre.

Pourquoi ne m'as-tu pas laissé
dans le bastion?

J'ai besoin de toi, ici.
Cherche dans toutes les maisons.
Assure-toi que toutes les femmes
et tous les enfants sont dans
la redoute. Elle est forte et
il y a beaucoup de provisions
là-dedans. Puis viens m'aider
avec les armes.

À ce moment, Marie arrive.

Mademoiselle Madeleine,
permettez-moi de vous aider!

Non, Marie. Va avec les femmes
et les enfants dans la redoute.

Mais vous avez
besoin d'aide.

Madeleine hésite un instant.
C'est vrai. Elle a besoin d'aide.

Tu es une fille brave, Marie.
Tu as raison. J'ai besoin de toi.
Viens m'aider avec les armes.

Oui, mon commandant

Madeleine, Marie et Alexandre apportent
des mousquets, des pistolets, de la poudre
et des balles à tous les bastions.

Quand elle monte sur la palissade, Madeleine regarde vers le champ où les habitants travaillaient. Elle entend toujours des coups de mousquet et des cris. Elle voit aussi quelques habitants, capturés par les Indiens. On les emmène. Quelques Indiens rassemblent les vaches, les chevaux, les cochons et les poulets et les emmènent dans les bois.

25

Tirez le canon tout de suite.
Les Indiens ont peur du canon.
Ça nous donne le temps de nous
organiser. Ça avertit aussi les
autres forts que les Indiens nous
attaquent. C'est un signal de danger.
Le canon, c'est un appel au secours.
Peut-être que nos amis les Hurons
vont l'entendre et venir nous aider.

Soyez toujours en état d'alerte.
Surveillez les bois de près
tout le temps. Observez
les mouvements des Iroquois,
mais tirez seulement si vous
voyez un Indien qui s'approche
de la palissade. N'oubliez pas
que nous nous battons pour notre
pays, notre peuple et notre foi.

Oui, mon commandant.

Nous n'avons pas de chance
si les Iroquois apprennent
que le fort n'est pas défendu.
Ils ne savent pas que nous
sommes seulement six. Il faut
donner l'impression qu'il y a
beaucoup de soldats et
d'habitants dans le fort. Il
faut faire beaucoup de bruit!
Il faut crier l'un à l'autre!
Il faut rire, chanter!
Le bruit, c'est notre défense
principale.

Oui, mon
commandant.

Il faut garder la palissade.
Sinon, les Indiens vont mettre
le feu au fort. Si les Indiens
arrivent à pénétrer dans le fort,
nous allons tous dans la redoute.
Elle est forte. Nous pouvons la
défendre. Il y a beaucoup de
munitions et de provisions
là-dedans.

Oui, mon
commandant.

Tirez d'une meurtrière, puis allez à la prochaine meurtrière pour tirer. Ça donne l'impression qu'il y a beaucoup de soldats. Ne montrez pas la tête à la meurtrière, mais laissez voir la bouche du mousquet. Les Indiens penseront qu'il y a quelqu'un qui défend chaque position.

Oui, mon commandant.

Marie, il faut que chaque soldat ait plusieurs mousquets et pistolets prêts à tirer. On n'a pas le temps de recharger s'il y a une attaque. Les femmes dans la redoute peuvent recharger les armes, et toi, tu peux les apporter aux soldats. Si c'est nécessaire, d'autres femmes peuvent t'aider.

Oui, mon commandant.

Pour le moment, va parler aux femmes et aux enfants dans la redoute. Console-les. Ils ont perdu leur mari et leur père. Mais il ne faut pas qu'ils pleurent! Si les Indiens entendent les femmes qui pleurent, ils vont attaquer!

Il faut que tout le monde ait l'occasion de dormir, mais il faut toujours avoir une sentinelle dans les bastions. Les femmes peuvent surveiller la palissade depuis la redoute. Pendant que quatre d'entre nous serons de garde dans les bastions, les deux autres dormiront.

Madeleine va parler à Laviolette. Elle lui demande des conseils. Il a eu beaucoup d'expérience dans les guerres avec les Indiens; ces guerres terribles pour les richesses des fourrures, les Anglais et les Iroquois contre les Français et les Hurons.

Laviolette, que pensez-vous? Est-ce qu'ils vont attaquer tout de suite?

Non, mon commandant. Les Iroquois n'attaquent pas pendant la journée. Ils attendent l'aube.

Est-ce que notre palissade est assez forte pour résister à leur attaque?

Ce n'est pas leur habitude d'attaquer directement. Ils préfèrent des attaques de surprise. Ils se cachent derrière des buissons, derrière des rochers. Ils glissent par terre. Ils escaladent la palissade. Ils attendent un moment de négligence de notre part.

Merci, Laviolette. J'apprécie votre aide. Vous avez bien servi mon père dans son régiment et vous continuez à bien servir la famille Verchères.

Prions, Mademoiselle, pour nos amis qui ont été tués et capturés par les Indiens.

Cette première nuit est vraiment terrible. On passe une nuit de peur. Il y a si peu de Français pour défendre le fort et il y a tant d'Iroquois qui se préparent à attaquer. Tout le monde est plein de doute et de peur, mais on surmonte sa terreur. Quand est-ce que les Indiens vont attaquer? Comment? Où? Un lapin qui court dans le champ leur fait sauter le coeur. Un hibou qui crie fait couler la sueur. Quand on regarde dans la noirceur de la nuit, on s'imagine qu'on voit un Indien dans chaque ombre, derrière chaque buisson, derrière chaque arbre.

Toutes les quinze minutes une sentinelle crie: «Tout va bien!». On lui répond. Même les soldats dans la redoute. Ça empêche les sentinelles de s'endormir et ça peut convaincre les Indiens que le fort est bien gardé.
Quand Madeleine, Pierre et Alexandre crient: «Tout va bien!», ils baissent le registre de la voix pour donner l'impression qu'ils sont adultes.

De temps en temps on croit voir un Indien qui essaye de s'approcher du fort sans faire de bruit. On croit voir un Indien qui court, qui se cache derrière une souche et on tire. Le bruit des coups de mousquet et de pistolet tonne dans le silence de la nuit. La nuit passe. La nuit passe lentement. Mais sans incident.

Le lendemain matin tout est très tranquille à l'intérieur du fort. Quelques femmes retournent à leur maison chercher quelques ustensiles et des vêtements. On apporte des provisions aux femmes et aux enfants dans la redoute. On remplit d'eau des barils au puits. Pierre est dans un bastion près du fleuve. On voit très peu d'Indiens dans les bois. Parfois on voit un Indien hostile

qui passe parmi les arbres, qui inspecte le fort,
mais rarement. De temps en temps un Indien
menace le fort de son tomahawk terrible.
Les Indiens sont presque nus. Leurs visages sont
peints. Même si on ne les voit pas souvent,
on sait qu'ils sont toujours là. On voit la fumée
de leurs feux. Ils préparent leur nourriture.

Soudain Pierre remarque quelque chose
sur le fleuve. D'autres Indiens qui
arrivent en canot?

Madeleine court aussi vite que possible
vers Pierre.

Le Siège

Les Fontaine ne savent pas que les bois sont pleins d'Iroquois. Que faire?

Madeleine pense un moment. Les Fontaine sont leurs voisins qui habitent l'île en face du fort. Il faut les avertir du danger. Il faut les sauver.

Oh, non! Ils s'approchent de notre quai!

Je vais les rencontrer, Pierre.
Je vais les amener dans le fort.

Mais c'est impossible.
Les Indiens te tueront, Madeleine!
Ils vous massacreront tous.

Non. Nous allons donner l'impression que nous préparons une sortie, que tous les soldats vont quitter le fort pour attaquer les Indiens. Toi, crie des ordres à des soldats imaginaires. Alexandre battra son tambour. Perrot, tirez le canon juste avant que je sorte du fort. Les Indiens ont peur du canon.

Madeleine, laisse-moi aller les rencontrer.

Non, Pierre. Tu restes ici. Et n'oublie pas que si les Iroquois me tuent ou me capturent, c'est toi le commandant du fort.

Madeleine explique son plan aux autres. Puis on ouvre la porte et Madeleine sort. Elle porte une casaque militaire et le chapeau de son père; elle porte son fusil au bras contre son épaule... et elle tremble! Elle a tellement peur! Elle regarde fixement les Fontaine. Elle ne regarde pas les bois. Dans le fort il y a beaucoup de bruit. On crie des ordres; on bat le tambour; et maintenant le canon du fort tonne. Les Indiens dans les bois sont confus. Ils pensent que c'est une ruse.

Madeleine arrive au quai.

Vite! Laissez toutes vos affaires. Les bois sont pleins d'Indiens. Ne courez pas, mais allez vite dans le fort.

Mme Fontaine est terrifiée. Les enfants aussi. Mme Fontaine porte le bébé. La plus grande fille prend la main des petits et on se précipite sur le fort. M. Fontaine et Madeleine tiennent leur fusil, prêts à faire feu. Le canon tonne encore une fois. Bravo Perrot!

Quand le petit groupe est près de la porte, les Indiens comprennent que c'est un truc. Ils commencent à tirer et, furieux, ils commencent à pousser des cris de guerre et à courir vers le fort.
Les soldats commencent à tirer. Les balles des Indiens frappent la palissade.

Vite! Courez
dans le fort!
Vite! Vite!
Courez! Courez!

La famille arrive dans le fort, saine et sauve,
et on ferme et barre la porte.

Madame Fontaine et les enfants, en larmes, vont vite à la redoute.
Madeleine explique la situation à Fontaine.

Je me place sous vos ordres, mon commandant.

Les Iroquois ont tué ou capturé huit sur dix des soldats et tous les hommes qui travaillaient dans les champs. Nous sommes seulement six pour défendre le fort: Pierre, Alexandre et moi, Laviolette, puis deux soldats. Mais je n'ai pas de confiance dans les deux soldats. Nous avons besoin de votre aide.

Merci, M. Fontaine.

Mon commandant, quand je m'approchais du fort, j'ai remarqué que la fumée ne sortait pas des maisons des habitants.

Oh! Vous avez raison. S'il n'y a pas de fumée, les Indiens savent que les familles ne sont pas dans leur maison! Merci, M. Fontaine. On va faire des feux dans toutes les cheminées.

Chaque jour Madeleine s'assure qu'il y a des feux dans les maisons pour que les Indiens pensent que les gens dans le fort continuent leur vie normale, protégés par les soldats.

Chaque jour, portant le chapeau de son père au bout d'un bâton, elle fait le tour des palissades. De loin, les Indiens voient seulement la grande plume et le haut du chapeau. Mais ça donne l'impression que le fort est bien gardé.

Chaque jour elle organise la routine des sentinelles. Il y a toujours quelqu'un à chaque bastion. Pendant la journée, ce sont les femmes qui sont de garde aux postes d'observation et deux sentinelles peuvent aller dormir. À l'heure de manger, deux sentinelles peuvent aussi aller prendre un repas. Madeleine, elle, mange peu, dort peu. Sa grande responsabilité pèse lourdement sur elle. Il y a tant de choses à faire. Il faut toujours penser à quelque détail. Tout le monde dépend d'elle. Leur vie dépend d'elle. Pour soutenir son courage, chaque jour elle entre dans la petite chapelle et elle prie Dieu que l'aide arrive bientôt.

Encore une nuit. Encore une nuit froide.
Le vent cruel siffle sans cesse. Pierre frappe
les mains ensemble pour faire circuler le sang.
Il tape des pieds aussi. Ça aide un peu
et ça fait aussi du bruit. Les Indiens savent
que les sentinelles sont alertes.

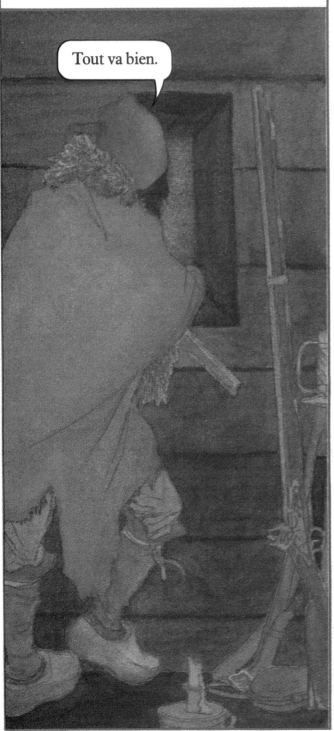

Madeleine prend son tour de garde dans le
bastion du nord. Elle est si fatiguée
et découragée. Pourquoi est-ce que les Indiens
n'attaquent pas? Ils attendent un moment
de faiblesse, un moment de négligence. Elle a
envie de pleurer, mais elle sait qu'elle doit
donner l'impression d'être pleine de confiance.
Mais quand elle est toute seule, ses doutes
l'attaquent. Si seulement l'aide arrivait...
si seulement son père venait...

Au milieu de la nuit,
il se passe quelque chose d'étrange.

Oh! Je gèle! Quel vent horrible! Il faut que je marche pour ne pas m'endormir. Mais qu'est-ce que c'est? Quel bruit étrange!

Madeleine! Madeleine! Viens vite! J'entends quelque chose! Un bruit étrange!

Fontaine! Venez prendre ma place! Attention tout le monde! C'est peut-être une attaque!

Qu'est-ce qu'il y a? C'est toujours là?

Oui! Écoute!

Tu as raison. Il y a quelque chose. Mais quoi? Qu'est-ce qu'ils font? On pousse contre la porte?

Il fait si noir qu'ils ne voient rien.

Les Indiens essayent d'entrer par la porte. Ils poussent contre la porte.

Madeleine essaye encore une fois de pénétrer l'obscurité de la nuit. Mais elle ne voit rien.

Vite. Tire par le trou dans le plancher.

Ils mettent tous deux le bout de leur mousquet dans le trou. Ils sont prêts à tirer. À ce moment ils entendent: MEUH! MEUH! MEUH!

Mais c'est les vaches!

Mais les Indiens ont emmené nos vaches.

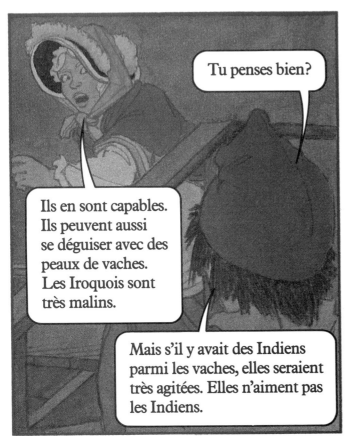

Tu penses bien?

Ils en sont capables. Ils peuvent aussi se déguiser avec des peaux de vaches. Les Iroquois sont très malins.

Mais s'il y avait des Indiens parmi les vaches, elles seraient très agitées. Elles n'aiment pas les Indiens.

La lune apparaît de derrière des nuages. Ils peuvent tous deux voir clairement les vaches.

Tu as raison. Elles ne sont pas agitées.

Madeleine ne sait que faire. Si on ouvre la porte et les Indiens sont là... mais c'est aussi vrai qu'on a besoin de lait pour les enfants et, si le siège dure longtemps, de viande aussi.

Madeleine prend une décision.

Eh bien. Descendons à la porte. Mais attention. Je vais chercher Fontaine pour nous aider.

Moi, j'ouvre la porte. Fontaine, Pierre, soyez prêts à tirer.

Madeleine ouvre la porte
juste assez pour laisser
entrer les vaches, une à une.
Fontaine et Pierre tiennent
leurs mousquets à l'épaule,
prêts à tirer. Ils observent,
inspectent, examinent. Rien.
Seulement les vaches.

C'est la dernière?

Oui, je crois que
c'est la dernière.

Madeleine ferme et barre la porte.
On est soulagés. On est aussi
très contents. Madeleine appelle
des femmes pour traire les vaches.

45

On est très soulagés et contents, mais il n'y a pas de temps pour célébrer.

Vite! À vos postes! Les Iroquois ont probablement entendu tout ce bruit. Ils s'approchent probablement pour voir ce qui se passe. À vos postes!

Tout le monde se précipite sur son poste. La lune est brillante. Il est facile de voir le terrain tout autour du fort. On inspecte chaque buisson, chaque roche, chaque ombre. Non. Rien. La nuit passe... len-te-ment. On est très fatigués, épuisés. Si seulement on pouvait se reposer, dormir...

Marie apporte du pain et du fromage aux sentinelles qui sont de garde.

Ceux qui sont libres prennent un bol de soupe chaude près de la cheminée avant de se coucher.

Pendant la journée, rien ne se passe.
Le suspense est terrible et énervant.
On voit des Indiens partout dans les
bois. Quelques-uns regardent le fort
silencieusement; quelques-uns menacent
le fort du poing. Dans le fort on
attend. On attend l'attaque inévitable.

Madeleine parle
bravement aux autres.
Elle cache à tous sa
peur et le tremblement.

Quand la nuit s'approche, le danger s'approche.
À cette heure tout le monde recommence à faire
beaucoup de bruit pour convaincre les Indiens
qu'il y a beaucoup de soldats dans le fort.
Alexandre bat son tambour. On crie des ordres.
On critique un soldat imaginaire qui n'obéit pas
aux ordres assez vite. On crée tout le brouhaha
possible.

e visage de tout le monde
évèle leur fatigue: le teint
e leur peau est jaunâtre
t on a des cercles noirs
utour des yeux. On ne dort pas
ssez, et quand on dort, on rêve
'Indiens, leur bras levé,
nant un tomahawk menaçant.

47

La Délivrance

Puis la nuit tombe. Il pleut. Impossible de voir clairement.
Il faut compter sur les oreilles pour entendre le moindre bruit.
Alex, dans le bastion du nord, regarde vers les bois.

Où sont les Indiens? Pourquoi est-ce qu'ils n'attaquent pas?
Quand est-ce qu'ils vont attaquer? Oh! Comme j'aimerais être près du feu
avec un bon bol de soupe chaude! Il est temps de crier: «Tout va bien!».

Ils échangent le cri des sentinelles. On pose des questions et on donne des réponses aussi.
Il devient plus froid. Quelques flocons de neige tombent. Alex frappe ses pieds contre le plancher
pour les réchauffer. Il penche sa tête sur un poteau et il pense à la cheminée, au feu.

Comme j'aimerais être près du feu.
Comme j'aimerais un bon bol de soupe aux choux chaude.
Comme j'ai... me... rais... m'en... dor... mir...

Soudain derrière lui
il y a un CRAC!

Il se retourne vite et voilà le visage peint d'un Iroquois, un couteau entre les dents! Alex frappe l'Indien au visage avec son mousquet, mais celui-ci continue à monter l'échelle.

Soudain il y a un grand CRAC! L'Indien ne peut pas bouger. Les marches de l'échelle qu'Alex n'a pas réparées se dégagent. L'Indien doit se tenir en place avec ses mains.
Alex prend son fusil et commence à battre les doigts de l'Indien.

Au secours! À l'aide! Y a un Indien! Un Indien! Au secours! Vite!

Et il continue à frapper l'Indien.

Soudain l'Indien relâche l'échelle et tombe. Il y a un coup de pistolet.

Alex! Alex! Ça va?

Oui! Oui! Ça va. Et l'Indien?

Il est mort.

Madeleine, qui ne peut pas quitter son poste, crie:

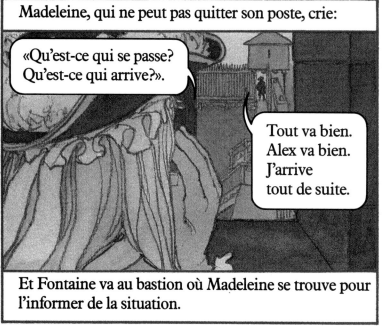

«Qu'est-ce qui se passe? Qu'est-ce qui arrive?».

Tout va bien. Alex va bien. J'arrive tout de suite.

Et Fontaine va au bastion où Madeleine se trouve pour l'informer de la situation.

Mais Fontaine, comment est-ce que cet Indien est entré dans le fort?

Je ne sais pas. Il a probablement escaladé la palissade.

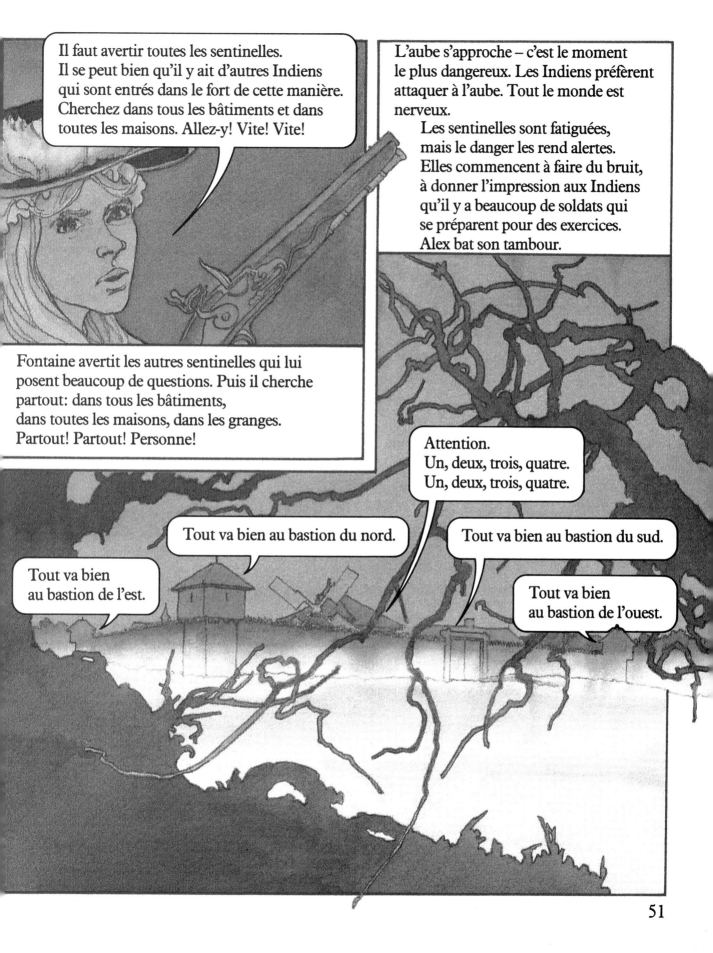

Il faut avertir toutes les sentinelles.
Il se peut bien qu'il y ait d'autres Indiens
qui sont entrés dans le fort de cette manière.
Cherchez dans tous les bâtiments et dans
toutes les maisons. Allez-y! Vite! Vite!

Fontaine avertit les autres sentinelles qui lui
posent beaucoup de questions. Puis il cherche
partout: dans tous les bâtiments,
dans toutes les maisons, dans les granges.
Partout! Partout! Personne!

L'aube s'approche – c'est le moment
le plus dangereux. Les Indiens préfèrent
attaquer à l'aube. Tout le monde est
nerveux.
   Les sentinelles sont fatiguées,
mais le danger les rend alertes.
Elles commencent à faire du bruit,
à donner l'impression aux Indiens
qu'il y a beaucoup de soldats qui
se préparent pour des exercices.
Alex bat son tambour.

Attention.
Un, deux, trois, quatre.
Un, deux, trois, quatre.

Tout va bien au bastion du nord.

Tout va bien au bastion du sud.

Tout va bien
au bastion de l'est.

Tout va bien
au bastion de l'ouest.

Le lendemain matin
Madeleine parle à Alex
d'une manière très sérieuse.

Tu n'as pas réparé
les marches de l'échelle?

Non, mon commandant.

Pourquoi?

J'ai commencé
à faire autre chose.
Puis j'ai oublié.

Tu as oublié! Nous sommes menacés d'une attaque des Indiens,
et tu as oublié! Nous dépendons les uns des autres, et tu as
oublié! Alexandre, je sais que tu es très jeune, mais dans
les circonstances si dangereuses, tu dois accepter
les responsabilités d'un homme. Tu es un Verchères!
Tu comprends ce que je dis?

Oui, mon commandant.
Mais c'est parce que
je n'ai pas réparé
les marches que
l'Indien est tombé.

52

Il n'y a pas de «mais»! Le devoir d'un soldat est d'obéir aux ordres sans hésitation, sans question.

Tu n'as pas obéi. Il faut qu'on te punisse.

Alex se tait.
Il sait que Madeleine a raison.

Pierre, toi et moi, nous représentons le nom de Verchères. Il faut que nous fassions notre devoir.

Je sais que j'ai mal fait. Qu'est-ce que je dois faire? Quelle punition?

Rien pour le moment. J'ai besoin de toi pour défendre le fort. On attendra le retour de papa. Maintenant, va à ton poste!

Oui, mon commandant.

Pendant la journée suivante, Madeleine passe du temps avec les femmes et les enfants dans la redoute. Elle essaye de les encourager. Elle s'assure qu'ils ont tout ce dont ils ont besoin.

53

Le ciel est gris et sombre toute la journée. Le soir il y a du brouillard. Ça continue toute la nuit. Madeleine est inquiète. Si les Indiens saisissent l'occasion... s'ils s'approchent de la palissade dans le brouillard... si on ne les voit pas. Comme elle est fatiguée! Découragée! Si seulement l'aide arrivait. Ça fait six jours que sa mère est absente. Quand est-ce qu'elle va revenir? Madeleine commence à douter qu'elle puisse continuer à jouer le rôle de commandant. Pourquoi est-ce que les Indiens n'attaquent pas? Pourquoi est-ce qu'ils attendent? Est-ce qu'ils attendent un moment de faiblesse de leur part... un moment d'inattention? Peut-être que les Indiens se demandent s'il faut continuer le siège d'un fort si bien défendu. Soudain elle entend Laviolette qui crie: «Tout va bien». Elle lui répond. Les autres aussi.

Elle essaye de pénétrer le brouillard de ses yeux. C'est comme un mur épais et gris. Soudain Madeleine fait un mouvement brusque en avant. Elle lève la tête. Est-ce que c'est de la fumée? Oui, elle sent de la fumée!

Elle regarde autour d'elle. Là, par le trou dans le plancher du bastion, de la fumée entre. Elle saisit son pistolet et tire par le trou. Elle entend un cri. Puis rien.

Fontaine! Fontaine! Au feu! Au feu!
Ils ont enflammé la palissade par ici.
Fontaine! Apportez de l'eau.
Vous autres, restez à vos places!

Fontaine sort de la redoute en courant, se précipite sur le puits et remplit deux seaux d'eau. Il les porte au bastion où se trouve Madeleine.

Vite! Vite! Jetez l'eau sur les flammes!
Jetez l'eau sur les flammes!

Voilà. Mais l'incendie n'est pas éteint. Je vais chercher encore de l'eau.

Fontaine retourne au puits. Il se demande si les Indiens enflamment d'autres endroits. Il court le plus vite possible à Madeleine et jette l'eau par le trou.

Voilà. Je crois que l'incendie est éteint.

Oh, Fontaine!
Je suis certaine qu'il y a d'autres Indiens là-bas.
Il faut avertir les autres.

Oui, mon commandant.
J'y vais tout de suite.

Madeleine regarde dans la noirceur.

Est-ce qu'il y a d'autres Indiens là-bas?
Je ne vois rien. Mais il faut faire attention
au plus petit mouvement. Là! Quelque chose!
Là! Près des buissons. Une ombre qui bouge.
Il faut tirer. Voilà! Il faut prouver
aux Indiens que nos sentinelles sont alertes.

Tout le monde, tirez
de rapides coups de fusil.
Commencez maintenant!

Le reste de la nuit passe lentement et sans incident.
Ils sont toujours épuisés, mais l'incendie et le danger
d'une attaque les forcent à rester alertes.
Il commence à pleuvoir. Peut-être que ça découragera
les Indiens d'allumer un autre incendie.

C'est la sixième nuit de siège. Madeleine est toute seule dans la cuisine.
Elle mange un bol de soupe. Soudain elle pousse le bol à côté, elle pose la tête sur les bras et,
épuisée, elle commence à pleurer.

C'est la fin. Nous n'en pouvons plus.
Tout le monde est découragé. Il y a tant d'Indiens
et il y a si peu de nous. Mes frères sont si braves,
mais ils sont au bout de leurs forces. Laviolette
et Fontaine n'ont plus d'énergie. Si les Indiens
attaquent, c'est la fin. Maman! Papa! Où êtes-vous?
Pourquoi est-ce que vous n'arrivez pas?

À ce moment elle entend la voix de Pierre.

Madeleine!
Madeleine!
Viens vite!
Vite!

Elle court vite au bastion où se trouve Pierre.

Qu'est-ce qu'il y a?

Écoute! J'entends
quelque chose.

57

Madeleine écoute. Rien. Attendez! Oui. Un petit bruit. Des hommes qui s'approchent du fort.

Qui vive?
Qui vive?

Des amis. Le secours.
C'est La Monnerie,
Mademoiselle de Verchères.
Je viens vous aider.

La Monnerie?

Oui.
Le Gouverneur
de Montréal,
De Callières,
m'a envoyé
vous aider.

Je descends tout de suite ouvrir la porte. Dieu merci, vous êtes arrivé.

Quand la porte est ouverte, La Monnerie et ses hommes entrent dans le fort. Ils passent devant Laviolette, Fontaine, Pierre et Alexandre, tous au garde-à-vous, leur mousquet au bras. La Monnerie remarque les visages jaunâtres, les yeux fatigués. Il remarque que le vieillard tremble de fatigue.

Et les Iroquois, Monsieur?
Ils sont toujours dans les bois?

Non, Mademoiselle.
Ils sont partis.
Le danger est passé.
Maintenant, s'il vous plaît,
montrez-moi vos troupes.

Mais vous avez passé devant mes troupes, Monsieur.

Ce vieillard, cet homme et ces deux garçons sont vos soldats?

Oui, Monsieur. Il y a deux soldats qui gardent la redoute. C'est tout.

Vous avez défendu le fort avec quatre hommes et deux garçons?

Oui, Monsieur. Nous avons persuadé les Iroquois que le fort était bien gardé.

Madeleine raconte toute l'histoire à La Monnerie, qui n'essaye pas de cacher son admiration.

À vingt milles de Montréal,
il y a une statue en bronze
de Madeleine de Verchères.
L'histoire de cette fille
de quatorze ans et de ses
frères braves illustre les
actions héroïques des gens
qui ont jeté les bases
de notre pays, le Canada.

Mon dictionnaire

accompagner to accompany; to escort
une **affaire** business
agité agitated; restless; excited
agiter la main to wave
l' **aide** help
    À l'aide! Help!
aider to help
aimer to love; to like
aimerais would like
aîné eldest
ainsi thus; so
    Ainsi soit-il. Amen.
ait has; are
alerte alert; vigilant
l' **aliment** food
Allez-y! Go to it!
allumé lit; on fire
allumer to light
alors then; therefore
amener to bring; to lead
un **ami** friend
s' **amuser** to have fun; to play
un **an** year
une **année** year
apparaît appears
apparaître to appear; to come into sight
un **appel** call
appeler to call
apporter to bring
apprécie appreciate; value
apprendre to learn
s' **approcher** to go up to, to approach; to draw near
après after
un **après-midi** afternoon
un **arbre** tree
l' **argent** money; silver
s' **arrêter** to stop
arrivait were to arrive
arriver to arrive; to happen
s' **asseoir** to sit down
    Asseyez-vous. Sit down.
assez enough
s' **assurer** to make sure
attendre to wait (for)
attention: Fais attention! Be careful!
attentive attentive; careful
attraper to catch
l' **aube** dawn
aujourd'hui today
aurai will have

aussi also; as well
autour de around
autre other
avant before
    en avant forward
avec with
avertir to warn
avoir to have
    avoir besoin de to need
    avoir envie de to want to
    avoir honte de to be ashamed of
    avoir peur de to be afraid of
    avoir raison to be right

un **baiser** kiss
baisser to lower
une **balle** bullet; shot
un **baril** barrel
barrer to bar; to fasten with a bar
une **base** basis; foundation
un **bastion** bastion, tower
bat beats
un **bâtiment** building
se **battre** to fight
battu: s'est battu fought
beaucoup a lot
un **bébé** baby
belle beautiful
le **bénédicité** grace (at a meal)
    Bénissez-nous. Bless us.
besoin: a besoin de needs
    aurai besoin de will need
le **beurre** butter
bien well
bientôt soon
le **blé** wheat
blessé wounded
le **bois** wood
les **bois** woods
un **bol** bowl
bon good
bonne good
bord: au bord de on the shore
une **bouche** mouth
une **boucle** buckle
bouger to move
le **bout** end
un **bras** arm
bravo good for
brillant brilliant; sparkling

une **broche**   spit
un **brouhaha**   hubbub; uproar
le **brouillard: Il fait du brouillard.**   It's foggy.
un **bruit**   noise
brusque   abrupt
un **buisson**   bush

ça   that
Où ça?   Where?
(se) **cacher**   to hide
un **canot**   canoe
cas: en tout cas   in any case
une **casaque**   short coat with large sleeves
ce   this; that
ce dont   that; of which
ce que   what
ce qui   what
célébrer   to celebrate
une **cendre**   ash
certainement   certainly
cesse: sans cesse   continuously
cette   this; that
un **champ**   field
la **chance**   luck; chance
un **chandelier**   candlestick
une **chandelle**   candle
chanter   to sing
un **chapeau**   hat
une **chapelle**   chapel
chaque   each; every
charger   to load
Elle charge sa fille de...   She gives her
daughter the responsibility to...
chaud   hot
une **cheminée**   fireplace; chimney
une **chemise**   shirt
chercher   to look for; to get
Va chercher...   Go and get...
un **cheval**   horse
des **chevaux**   horses
un **choix**   choice
Elle n'a pas le choix.   She has no choice.
une **chose**   thing
un **chou**   cabbage
le **ciel**   sky
une **circonstance**   circumstance
circuler   to circulate; to flow
une **citrouille**   pumpkin
clairement   clearly
claquer   to slam
clouer   to nail
un **cochon**   pig
un **coeur**   heart

combattre   to fight
le **commandant**   commanding officer
comme   like; how; as
comme ça   in that way
comment   how
comprendre   to understand
compter   to count
la **confiance**   confidence; trust
un **conseil**   (piece of) advice
des **conserves**   preserves
consoler   to console; to comfort
content   happy
contre   against
convaincre   to convince
côté: à côté   aside
un **cou**   neck
se **coucher**   to go to bed
couler   to run; to flow
un **coup**   shot
couper   to cut; to chop
courant: Il sort en courant.   He runs out.
courent   run
courir   to run
un **couteau**   knife
créer   to create
un **cri**   shout; shriek
un cri de guerre   war cry
crier   to yell, to shout; to screech
en criant   yelling, shouting
critiquer   to criticize
croire   to believe
croit   believes
cueillir   to pick; to gather
cuire   to cook
une **cuisine**   kitchen

dans   in; into
découragée   discouraged
défendra   will defend; will protect
défendre   to defend
défendu   defended
se **dégager**   to come loose
se **déguiser**   to disguise themselves
le **déjeuner: le petit déjeuner**   breakfast
une **délivrance**   relief; rescue
demandé   asked
une **dent**   tooth
depuis: depuis quelque temps   for some time
derrière   behind
détacher   to detach; to unfasten
un **détonateur**   fuse
détruisent   destroy
devant   in front of

devenir to become
devez must
devient becomes
le **devoir** duty
Dieu God
dire to say; to tell
directement directly
dis say
discerner to make out
discuter to discuss
disparaissent disappear
une **dispute** quarrel
dit: a dit told; said
un **doigt** finger
dois must, have to
doit must, has to
un (une) **domestique** servant
donner to give
donner à manger to feed
donnerai will give
dont that; of which, whose
dormir to sleep
dormiront will sleep
un **doute** doubt
sans doute undoubtedly
douter to doubt
droite: à droite on the right
dur hard
durer to last

l'**eau** water
échanger to exchange
s'**échapper** to escape
une **échelle** ladder
un **éclaireur** scout
écouter to listen (to)
embarquer to embark; to get into
embrasser to kiss
emmener to take (away)
empêcher to prevent
en by; in; it
encore still; yet; again; another; more
encore une fois once again
s'**endormir** to fall asleep
un **endroit** place
énervant weakening
un (une) **enfant** child
enflammer to set fire to
ensemble together
entendre to hear
en tout cas in any case
entre between
entrer to enter

envers towards
envie: avoir envie de to want
envoie send
envoyer to send
épais thick
une **épaule** shoulder
épuisé exhausted; tired
escaladé climbed
escalader to climb
essayer to try
l'**est** east
une **étable** cowshed
était was
un **état** state; condition
en état d'alerte on the alert
été been
éteint extinguished; out (of fire)
une **étoffe** material
étrange strange
eu had
un **exercice** drill; exercise
expliquer to explain
un **exploit** achievement
exploser to explode

en **face de** opposite
facile easy
la **faiblesse** weakness
faire to do
faire feu to fire (weapon)
Fais attention! Be careful!
faisaient partie de were a part of
fait made
une **famille** family
fasse do
fassions do
la **fatigue** weariness; fatigue
fatigué tired
faut: il faut you have to; we have to; one has to;
  it is necessary to
il me faut I need
une **femme** wife; woman
ferai will make
fermement firmly
fermer to close
un **fermier** farmer
le **feu** fire
Au feu! Fire!
faire feu to fire
mettre le feu à to set fire to
un **filet** net
une **fille** daughter; girl
un **fils** son

la **fin**   end
fixement: regarder fixement   to stare at
une **flamme**   flame
un **fleuve**   river
un **flocon**   (snow) flake
la **foi**   faith
une **fois**   a time; once
une **force**   strength; force
de toutes ses forces   with all her strength
fort   strong
un **four**   oven
frais   fresh
les **Français**   the French
frapper   to strike, to hit; to knock
un **frère**   brother
le **froid**   cold
Il fait froid.   It's cold.
le **fromage**   cheese
la **fumée**   smoke
furieux   furious
un **fusil**   gun; rifle

une **galette**   pancake
un **garçon**   boy
garde: au garde-à-vous   standing to attention
de garde   on guard
garder   to guard
une **garnison**   garrison
gauche: à gauche   on the left
geler   to freeze
les **gens**   people
glisser   to creep; to steal
le **gouverneur**   governor
la **grâce**   grace; favour
grâce à   thanks to
grand   great; big
une **grange**   barn
gris   grey
gros   big, large
une **guerre**   war

un **habitant**   inhabitant
une **habitude**   habit; custom
le **haut**   top; upper part
en haut   upstairs
hésiter   to hesitate
une **heure**   hour
à l'heure de manger   at meal time
de bonne heure   early
un **hibou**   owl
une **histoire**   story
un **homme**   man
la **honte**   shame
avoir honte   to be ashamed

ici   here
une **idée**   idea
une **île**   island
illustre   famous
imaginaire   imaginary
un **incendie**   fire
un **incident**   occurrence; happening
inévitable   unavoidable
inquiète   worried
interrompre   to interrupt

jamais: ne... jamais   never
une **jambe**   leg
jaunâtre   yellowish
jeter   to throw; to lay
jeune   young
jouer   to play
un **jour**   day
de tous les jours   everyday
une **journée**   day
juste: juste avant   just before

là   there
là-bas   over there
là-dedans   in them; in it
un **lâche**   coward
laissé   left
laisser   to let, to allow; to leave
le **lait**   milk
un **lapin**   rabbit
une **larme**   tear
en larmes   in tears
le **lendemain**   next day
le lendemain matin   next morning
lentement   slowly
leur   their; (to) them
levé   raised
se **lever**   to get up
libre   free
loin: loin de   far from
de loin   from afar
longtemps   a long time
longue   long
lourdement   heavily
lui   he, him; her
lui-même   himself
la **lune**   moon

ma, mon, mes   my
madame   Mrs.
mademoiselle   Miss
une **main**   hand
maintenant   now
mais   but

une **maison** house
mal wrong
malin clever
maman mother
un **manche** handle
manger to eat
mangerai will eat
une **manière** manner; way
manqué missed
une **marche** step
marcher to walk
un **mari** husband
massacreront will massacre
un **matin** morning
même even
menaçant threatening
une **menace** threat
une **mère** mother
mettre to put; to put on
une **meurtrière** loophole (narrow slit in the wall for shooting)
le **miel** honey
mieux better
milieu: au milieu in the middle
un **mille** mile
un **misérable** scoundrel
moi I; me
moindre least
moins: au moins at least
un **monde** world
tout le monde everyone
Monseigneur (title of dignity) Your Lordship
monsieur Mr.
monter to go up; to climb
montrer to show
mort dead
un **mouchoir** handkerchief
un **mousquet** musket
les **munitions** ammunition
un **mur** wall

un **navet** turnip
la **négligence** carelessness
la **neige** snow
nerveux nervous
noir: Il fait noir. It's dark.
la **noirceur** blackness; gloominess
un **nom** name
non plus either
le **nord** north
la **nourriture** food
nouveau new
nouvelle new

nu unclothed; naked
un **nuage** cloud
une **nuit** night

obéir to obey
l'**obscurité** darkness
une **ombre** shadow; shade
une **oreille** ear
l'**orge** barley
où where
Où ça? Where?
oublier to forget
l'**ouest** west
ouvert open
ouvre opens
ouvrir to open

une **pagaie** paddle
un **pagayeur** paddler
le **pain** bread
une **palissade** stockade (a wall of upright stakes)
par by
parce que because
parfois sometimes
parler to speak
parmi among
une **partie** part
faisaient partie de were a part of
partir to leave, to go
Les voilà partis! They're off!
Il part en courant. He runs off.
partout everywhere
passer to spend
se **passer** to happen
un **pays** country
une **peau** skin; pelt
pêcher to fish
peint painted
une **pelle** shovel
pencher to lean
se **pencher** to bend
pendant during
pendant que while
pénétrer to penetrate; to enter
penser to think
Tu penses bien? You think so?
penseront will think
perçant piercing
perdu lost
un **père** father
permet permit
une **personne** person
persuadé persuaded; convinced

peser to weigh
petit little; small
  le petit déjeuner breakfast
un **peu** a bit, a little
  si peu de so few
  Peuh! Ugh!
le **peuple** people
la **peur** fear
  avoir peur de to be afraid of
peut can
  Il se peut bien... It may well be...
peut-être perhaps
peuvent can
peux can
un **pied** foot
un **pistolet** pistol
se **placer** to take one's place
  plaît: s'il vous plaît please
un **plancher** floor
une **plantation** field
un **plat** dish
plein full
pleurer to cry
pleut: Il pleut. It's raining.
pleuvoir to rain
une **plume** feather
plus more
  en plus de in addition to
  ne... plus no longer; no more
plusieurs several
un **poing** fist
point: sur le point de about to
un **poisson** fish
portant wearing
une **porte** door
porter to wear; to carry
poser: poser des questions to ask questions
un **poste** post; station
  poste d'observation observation point
un **poteau** post; pole
la **poudre** powder
un **poulet** chicken
pour for; to
  pour que so that
pourquoi why
pourront will be able
pousser to push; to grow
  pousser des cris to utter shouts
pouvait could
pouvoir to be able
se **précipiter** to rush
première first
prendre to take

se **préparer** to prepare, to get ready
près near
  de près closely
presque almost
prêt ready
prier to pray
principal principal; main
prions let us pray
probablement probably
prochain next
proche near
propre own; clean
protéger to protect
une **provision** provision; supply
une **prune** plum
puis then
puisque since
puisse can
un **puits** well
punir to punish
une **punition** punishment

un **quai** wharf; dock
quand when
que what; than; how
  Que faire? What is to be done?
quel what
quelque some
quelque chose something
quelques-uns some
quelqu'un someone
qu'est-ce que what
Qu'est-ce qu'il y a? What's wrong?
une **question** question
  en question in question, at stake
qui that; who
quitter to leave
quoi what

raconter to tell
raison: avoir raison to be right
ramasser to pick up
rarement rarely
rassembler to gather together
réalisent carry out
réchauffer to warm
une **récolte** harvest; crop
récolter to harvest
recommencer to begin again
une **redoute** blockhouse
regarder to look
le **registre** tone quality; pitch
relâcher to let go

remarqué   noticed
remarquer   to notice
remplacer   to replace
remplir   to fill
rencontrer   to meet
rendre   to make; to hand over
rentrer   to re-enter; to go home
réparer   to repair
un repas   meal
répondre   to answer
une réponse   answer
se reposer   to rest
rester   to stay
le retour   return
retourner   to go back
se retourner   to turn around
révéler   to reveal
revenir   to come back
rêver   to dream
reviennent   return
rien: ne... rien   nothing
rire   to laugh
une rive   bank; shore
une rivière   river
une robe   dress
une roche   rock
un rocher   rock
un roi   king
une ruse   trick

sa, son, ses   his; her
sage   good; wise
saine: saine et sauve   safe and sound
St-Laurent   St. Lawrence
sais   know
saisir   to seize
saisissent   seize
sait   know
saluer   to salute
le sang   blood
sans   without
un saumon   salmon
sauter   to jump
    faire sauter le coeur   to make one's heart jump
sauvage   wild; savage
sauver   to save
savent   know
savez   know
savoir   to know
un seau   pail; bucket
le secours   help
    Au secours!   Help!
le Seigneur   lord

se sent   feels
une sentinelle   sentry
sentir   to feel; to smell
seraient   would be
sérieuse   serious
sérieux   serious
serons   will be
servi   served
servir   to serve
un serviteur   servant
seul   alone; only
seulement   only
si   if; so; yes
siffler   to whistle
silencieusement   silently
silencieux   silent
sinon   if not
une soeur   sister
un soir   evening
    À ce soir.   See you this evening.
soit   be
un soldat   soldier
le soleil   sun
sombre   dark; overcast
une sortie   expedition
sortir   to go out; to leave
    Il sort en courant.   He runs out.
une souche   tree stump
soudain   suddenly
soulage   comfort
soulagé   relieved
un soulier   shoe
sourire   to smile
sous   under
soutenir   to keep up
soyez   be
le sud   south
la sueur: couler la sueur   to sweat
suffit: ça suffit   that's enough
suivant   following
suivre   to follow
sur   on
surmonter   to overcome
surtout   especially
surveiller   to keep an eye on; to watch
surveillez   watch over

ta, ton, tes   your
se taire   to be silent
se tait   is silent
un tambour   drum
tant   so much, so many
taper   to stamp

le **teint**   colour

tellement   so

le **temps**   time

    de temps en temps   from time to time

tenant   holding

se **tenir: se tenir en place**   to hold on

le **terrain**   land; ground

la **terre**   land

    par terre   on the ground

une **tête**   head

tiennent   hold

tient   holds

tiré   fired, shot

tirer   to fire; to shoot; to pull

toi   you

toi-même   yourself

tomber   to fall

tonner   to thunder

toujours   always

une **tour**   tower

un **tour**   tour

    faire le tour   to make the rounds

tourner   to turn

tous   all

    tous deux   both

tout   everything; all

    à tout instant   at any moment

    en tout   in all respects

    en tout cas   in any case

    tout de suite   immediately

    tout le monde   everyone

traire   to milk

tranquille   quiet

le **travail**   work

travaillaient   were working

travailler   to work

le **tremblement**   trembling; shaking

très   very

    très bien   all right

un **trou**   hole

se **trouver**   to be

un **truc**   trick

tué   killed

tuer   to kill

tueront   will kill

un **ustensile**   utensil; tool

une **vache**   cow

Vas-y.   Get at it.

vaut: Il vaut mieux...   It's better to...

le **velours**   velvet

venait   were to come

venez   come

venir   to come

un **vent**   wind

venus: sont venus   came

vers   towards; to

un **veston**   jacket

les **vêtements**   clothes

veut   want

la **viande**   meat

vider   to empty

la **vie**   life

un **vieillard**   old man

viennent   come

viens   come

vieux   old

un **visage**   face

vite   quickly; quick

vive: Qui vive?   Who goes there?

voilà   there is

    Les voilà partis!   They're off!

voir   to see

un **voisin**   neighbour

une **voix**   voice

vont   go

votre   your

voudrais   would like

vouloir   to want

voulons   want

vrai   true; real

vraiment   truly

y   there

    il y a   there is; there are

les **yeux**   eyes